MW01036705

MACARIO

B. TRAVEN

MACARIO

SELECTOR
actualidad editorial
Doctor Erazo 120 Colonia Doctores 06720 México, D.F.
Tel. 55 88 72 72 Fax. 57 61 57 16

MACARIO.
B. Traven.

Diseño de portada: Perla Alejandra López.

ISBN-13: 978-970-643-644-3
ISBN-10: 970-643-644-8

Selector, S.A. de C.V.

Vigésima Sexta reimpresión. Abril 2010.

Sistema de clasificación Melvil Dewey

863M
T15
2003

Traven B., 1890-1969
Macario. / B. Traven
México : Selector, 2003.
112 p.

ISBN 970-643-644-8

1. Literatura mexicana. 2. Novela.

I

Macario era leñador en aquel pueblecito. Padre de once hijos andrajosos y hambrientos, no deseaba riquezas, ni cambiar por una casa bien construida el jacal que habitaba con su familia. Tenía, eso sí, desde hacía veinte años, una sola ilusión. Y esta gran ilusión era la de poderse comer a solas, gozando de la paz en las profundidades del bosque y sin ser visto por sus hambrientos hijos, un pavo asado entero.

Nunca logró llenar su estómago hasta satisfacerse. Por el contrario, siempre se sentía próximo a morir de hambre. Pese a lo cual, todos los días del año, sin descontar los domingos y días festivos, tenía que dejar su hogar antes de que amaneciera para ir al bosque, del que regresaba al anochecer con una carga de leña a la espalda. Aquella carga, que representaba todo un día de trabajo, la vendía por dos reales... y a veces por menos.

Sólo durante el tiempo de aguas, cuando prácticamente no tenía competencia, y mejor aún en los días señalados, como por ejemplo el día de los Fieles Difuntos, en que la demanda era mayor por parte de los fabricantes de velas y de los panaderos, que horneaban toda clase de panes de muerto y calaveras de azúcar, llegaba a conseguir que le dieran hasta tres reales por su carga de leña.

Tres reales constituían una fortuna para su esposa, conocida en el pueblo como "La Mujer de los Ojos Tristes". Ella, de modo más marcado que su marido, producía la impresión de que se iba a desvanecer de hambre.

Cuando Macario llegaba a su hogar, al anochecer, tiraba la carga, con un suspiro revelador de su agotamiento. Tambaleándose, tropezando, llegaba hasta el interior de la choza y sin hacer ruido se dejaba caer sobre una sillita primitiva que uno de los niños acercaba rápidamente a la mesa, igualmente tosca, sobre la que Macario extendía ambos brazos exclamando:

—¡Ay, mujer, qué cansado estoy y cuánta hambre tengo! ¿Qué hay de comer?

Su mujer contestaba:

—Frijoles negros, chile verde, tortillas, sal y té limón.

La cena era siempre la misma, sin variación alguna.

El conocía la respuesta de su mujer desde mucho antes de llegar a su casa y hacía la pregunta simplemente por decir algo y para que sus hijos no le consideraran como a una simple bestia de carga. Cuando aparecía la comida, servida en jarros y cazuelas de barro, él ya se había quedado profundamente dormido, por lo que su mujer tenía que despertarle diciéndole:

—Macario, la comida está en la mesa.

—Demos gracias a Dios por las mercedes que nos dispensa a nosotros, pobres pecadores —musitaba él—, e inmediatamente empezaba a comer.

No había tomado los primeros bocados cuando se percataba de que todos sus hijos le vigilaban con la esperanza de que no comiera mucho y dejara algo para que ellos pudieran repetir, ya que siempre su ración era insuficiente.

Entonces dejaba de comer y se concretaba a beber el té limón. En cuanto vaciaba el jarro, murmuraba con voz plañidera:

—Oh, Señor, si por lo menos una vez en mi pobre vida pudiera comerme entero un guajolote asado, moriría feliz y descansaría en paz hasta el día del Juicio Final.

A menudo no decía tanto y se conformaba con murmurar:

—¡Oh, Señor; concédeme, aunque sea una sola vez, todo un pavo para mí solo!

Tantas veces habían escuchado sus hijos aquel lamento que ya no le prestaban atención, considerándolo como una forma de dar gracias después de la cena. Sabían que las mismas posibilidades de que su padre gozara de un pavo asado eran las que existían de que poseyera mil pesos oro, aun cuando hubiera rogado toda su vida por ellos.

Su mujer, la compañera más fiel y abnegada que hombre alguno pudiera desear, sabía que su esposo no comía tranquilo y suficientemente mientras sus hijos lo vigilaran con ojos hambrientos, deseando hasta el último de sus frijoles. Esto la apesadumbraba, pues tenía buenas razones para considerarle como un buen marido, con cualidades que ni siquiera podía soñar que encontraría en otro.

Macario nunca pegaba a su mujer. Trabajaba tanto como a un hombre le es posible hacerlo, y solamente los sábados en la noche solía reservarse dos centavos para beberse un traguito de mezcal que ella misma compraba en la tienda, porque sabía que obtendría el doble de la cantidad que a él le darían por el mismo precio en la cantina del pueblo.

Percatándose del excelente esposo que tenía, de lo mucho que trabajaba para mantener a su familia y de lo mucho que amaba a sus hijos, la mujer empezó a ahorrar hasta el último centavo de los pocos que ganaba lavando ropa y desempeñando trabajos pesados para otras mujeres del pueblo, que gozaban de mayores posibilidades que ella.

Después de ahorrar sus centavitos durante tres largos años, que le parecieron una eternidad, pudo hacerse del pavo más gordo que encontró en la plaza. Reventando de gozo y satisfacción lo llevó a su casa cuando los niños estaban ausentes y lo escondió en forma tal que nadie pudiera descubrirlo. No dijo ni una sola palabra cuando llegó su marido rendido, agotado, hambriento y como siempre rogando al cielo por su pavo asado.

Aquella noche hizo que los niños se acostaran temprano. No temía que su marido se diera cuenta de lo que ella preparaba, porque el hombre se quedaría como siempre profundamente dormido en la mesa, de donde se levantaría como sonámbulo para dejarse caer, privado de sentido, sobre el catre.

Si en alguna ocasión una cocinera preparó un pavo para una buena comida poniendo en ello todo su amor, toda su habilidad, así como todos sus buenos deseos, fue en aquélla. La mujer trabajó con devoción durante toda la noche a fin de que el pavo estuviera listo antes del amanecer.

Macario se levantó para iniciar su trabajo diario y se sentó a la mesa para tomar su pobre desayuno. Nunca se ocupaba de dar los buenos días, ni tenía costumbre de que su mujer se los diera. Si algo faltaba en la mesa o si no hallaba el machete y las cuerdas que necesitaba para su trabajo, murmuraba alguna palabra sin abrir apenas la boca. Como sus exigencias eran escasas, a pesar de que se expresaba con palabras muy limitadas, las absolutamente necesarias, su mujer le comprendía perfectamente sin incurrir jamás ni en la más leve equivocación.

—Hoy es tu santo, esposo querido. Felicidades. Toma, aquí tienes el pavo asado que durante tantos años has deseado y por el que tanto has rogado. Llévatelo a lo más profundo de la selva para que nadie te moleste y puedas comértelo solo. Ahora, date prisa antes de que los niños lo vayan a oler y se enteren de que lo tienes, porque entonces no podrías dejar de compartirlo con ellos. Anda, corre.

El la miró largamente con sus ojos cansados.

"Por favor" y "gracias" eran términos que jamás empleaba. En cuanto a la idea de ceder un pedacito del pavo a su mujer, no tuvo cabida en su cerebro, porque su mente, acostumbrada a albergar no más de un pensamiento cada vez, estaba ocupada en aquel momento en el que su esposa le había sugerido de correr con su pavo antes de que los niños lo descubrieran.

II

Habiendo empleado largo tiempo en encontrar un lugar suficientemente apartado en lo más profundo del bosque, se encontraba con un apetito feroz, dispuesto a gozar de su pavo. Se acomodó lo mejor que pudo sobre el suelo y con un suspiro de profunda satisfacción se recargó en la cavidad de un árbol grande, sacó el pavo de la canasta, extendió las hojas de plátano ante él a manera de mantel y colocó al ave sobre ellas con un gesto de reverencia como para ofrecerlo a los dioses.

Pensaba acostarse después de comer, y dormir hasta la noche, convirtiendo el día en verdadera fiesta, la primera en su vida desde que tenía memoria.

Al mirar aquel pavo tan bien preparado y al aspirar el sabroso aroma del buen asado, ese aroma que no tiene paralelo entre los veinticinco millones conocidos por la raza humana, exclamó con admiración:

—Debo decir que es una gran cocinera, sólo que nunca tiene oportunidad de demostrarlo.

Fue aquélla la más profunda expresión que su gratitud pudo encontrar. Su esposa habría reventado de orgullo y habría sido feliz más allá de todo límite si él hubiera dicho aquello en su presencia alguna vez en su vida. Pero eso no lo habría hecho él jamás, porque en presencia de ella las palabras se resistían a salir de sus labios.

Se había lavado las manos en un arroyo cercano y todo estaba a punto para aquella solemne ocasión, en que se verían colmados los deseos de un hombre capaz de rogar durante largos años para que se le concediera tan gran merced.

Asegurando la pechuga del pavo con la mano izquierda, tomó con la derecha una de las gruesas piernas del animal para separarla y empezar a comer.

III

Cuando intentaba hacer esto, se percató de la presencia de dos pies humanos posados escasamente a dos metros de él.

Recorrió con la vista los pantalones negros y ajustados que cubrían unas botas cortas de montar hasta el tobillo y encontró para su sorpresa que pertenecían a un charro que observaba la operación que practicaba al pavo. El charro se tocaba con un sombrero de enormes alas, ricamente bordado de oro, y vestía una chaquetilla de cuero con hermosa botonadura del mismo metal y bordada de plata y sedas multicolores. El pantalón lucía botones de oro en los costados de ambas piernas y sobre las botas relucían dos preciosas espuelas de plata maciza. Al más leve movimiento hecho por el charro mientras se dirigía a Macario, las botonaduras chocaban y producían un alegre sonido. El charro tenía un gran bigote negro y una barba como de chivo. Sus ojos, como dos incisiones, eran negros y penetrantes como agujas.

Cuando Macario miró a la cara del extraño, éste sonrió maliciosamente con sus labios delgados. Sin duda el charro consideraba que su sonrisa era hechicera y que no habría hombre o mujer capaz de resistirla.

—¿Qué dices, amigo, de darle un buen bocado de tu pavo a este jinete cansado? —preguntó con voz metálica—. Mira, he cabalgado toda la noche y me estoy muriendo de hambre. ¿Qué tal si me convidas a un pedazo de tu almuerzo?

—En primer lugar, éste no es mi almuerzo —corrigió Macario, agarrando el pavo como si temiera que se echara a volar—. Y en segundo lugar, a esta comida solemne yo no invito a nadie, sin distinción de personas. ¿Me entiende?

—Te doy mis hermosas espuelas de pura plata a cambio solamente de esa pierna que ibas a arrancar —propuso el charro humedeciéndose los labios con su lengua fina, que de haber sido bífida parecería la de una serpiente.

—Las espuelas no me sirven para nada, aunque sean de hierro, acero, plata u oro incrustado de diamantes, porque no tengo caballo que montar. —Macario apreciaba bien su pavo asado.

—Bien, entonces arrancaré una pieza de la botonadura de oro de mi pantalón y te la daré a cambio de la pechuga de tu pavo. ¿Qué dices?

—Esa moneda de oro no me favorecerá en nada. Si alguien me ve con una sola de esas monedas de su botonadura, me meterán en la cárcel y me torturarán hasta que les diga dónde la robé, y después me cortarán una mano por ladrón. ¿Y qué haré yo, leñador, con una mano de menos, cuando de hecho podría usar cuatro si el Señor hubiera sido tan bondadoso de concedérmelas?

Macario, despreciando la insistencia del charro, dio un tirón de la pierna del pavo para empezar a comer, cuando el visitante le interrumpió, diciendo:

—Mira, amigo, estos bosques me pertenecen, éstos y todos los de la comarca. Pues bien, estoy dispuesto a dártelos a cambio de un alón del pavo y de un puñado del relleno. Todos mis bosques solamente por eso.

—Miente usted, forastero. Estos bosques no son suyos, pertenecen al Señor, pues de otro modo yo no podría cortar leña y proveer de combustible a los habitantes del pueblo. Y si fueran de usted y me los regalara o me los diera a cambio de una parte de mi pavo, ello no remediaría mi situación, porque tendría que seguir trabajando como lo he hecho toda la vida.

El charro insistió:

—Escúchame, buen amigo . . .

—Oiga —interrumpió Macario con impaciencia—, ni usted es amigo mío ni yo lo soy de usted ni lo seré mientras viva. Entiéndalo bien. Y ahora vuélvase al infierno, de donde vino, y déjeme gozar en paz de esta comida solemne.

El charro hizo una mueca horripilante, juró soezmente y maldiciendo al mundo y a la raza humana, se fue.

Macario le siguió con la vista hasta que hubo desaparecido. Moviendo la cabeza, murmuró:

—¿Quién creyera que por estos bosques pueden andar tipos tan chistosos? En fin, hay que convencerse de que al crear este mundo, el Señor necesitó de toda clase de gentes.

IV

Suspiró y agarró la pechuga del pavo con la mano izquierda, como antes lo hiciera, tomando con la derecha una de las piernas. Nuevamente volvió a darse cuenta de la presencia de dos pies frente a él, exactamente en el mismo sitio en el que sólo unos segundos antes se había parado el charro.

Los pies que ahora veía iban calzados con huaraches muy maltratados, que ponían de manifiesto las andanzas de su dueño. Aquellos pies correspondían sin duda a un hombre muy fatigado, porque parecían hundirse sobre sus arcos.

Macario levantó la vista y se encontró con un rostro muy sincero y agradable, orlado de una barbilla rala. El caminante vestía de manta muy vieja, pero bien limpia; su apariencia era la de cualquier campesino de la región.

Los ojos de Macario quedaron prendidos a los del peregrino, como si los de éste tuvieran un poder mágico, y a través de ellos el leñador descubrió que en el corazón de aquel hombre pobre se hallaban reunidas todas las bondades del cielo y de la tierra. En sus pupilas brillaba un pequeño sol dorado, algo como una abertura que le invitase a uno a asomarse por ella al cielo y contemplar a Dios en toda su gloria. Con una voz en la que parecían escucharse las notas de un órgano lejano, el visitante dijo:

—Dame, buen vecino, como yo habré de darte algún día. Tengo hambre, mucha hambre, porque según puedes ver, amado hermano, vengo desde muy lejos. Dame, por favor, la pierna que tienes en la mano y te bendeciré por ello. Con eso podré satisfacer mi hambre y recuperaré las fuerzas, porque todavía tengo que andar mucho para llegar a la casa de mi padre.

—Caminante, es usted un hombre muy agradable, el más bondadoso de los hombres que he conocido y conoceré —dijo Macario como si estuviera orando ante la Virgen.

—Entonces, mi buen hombre, dame siquiera la mitad de la pechuga de tu ave, porque sin duda a ti no te hará mucha falta.

—Oh, mi querido peregrino —dijo Macario gravemente, como dirigiéndose por primera vez al personaje que él considerara el más elevado del mundo, a un arzobispo, aunque en realidad jamás había visto o conocido alguno—. Si usted, mi reverendísimo señor, pretende asegurar que en realidad nada pierdo, le contestaré con muchísima pena y a la vez con toda humildad, porque no hallo otra respuesta que darle, que está usted equivocado. Sé perfectamente que jamás debiera hablarle en esa forma a Usted, porque es tanto como blasfemar; sin embargo, no puedo evitarlo, tendría que hablar así aunque me costara la entrada al cielo, porque la voz y los ojos de Usted me obligan a decir la verdad. Usted sabe, Señor, que no puedo perder ni siquiera el más pequeño pedacito de este pavo. El ave (y yo le ruego que comprenda), me fue dada con la intención de que la comiera entera y yo solo. Dejaría de estar completa si yo regalara aunque fuera sólo un pedacito del tamaño de una uña. Toda mi vida he rogado por un pavo, y compartirlo ahora, después de haber orado toda la vida para obtenerlo, sería destruir la felicidad de mi buena y fiel esposa, que se ha sacrificado hasta lo increíble para hacerme este gran regalo. Así, pues, Señor mío, le ruego que perdone Usted el pensamiento de este pobre pecador. Se lo ruego.

El peregrino miró a Macario y le dijo:

—Yo te comprendo, Macario, hermano. Te comprendo y te bendigo. Puedes comer tu pavo en paz. Pasaré por tu pueblo, me asomaré a tu choza y bendeciré a tu buena mujer y a tus hijos. Que Dios sea contigo, hoy, mañana y hasta tu último día sobre la tierra.

Macario, después de seguir con la vista hasta perderlo al peregrino solitario, movió la cabeza y se dijo:

—Realmente me da pena, estaba tan cansado y hambriento. Pero yo nada podía hacer. Habría insultado a mi esposa. Además, yo no podía haber dado ni la pierna ni parte de la pechuga, porque entonces habría dejado de tener el pavo entero.

V

Volvió a agarrar la pierna del pavo para tirar de ella e iniciar su comida, cuando una vez más vio un par de pies frente a sí. Calzaban sandalias antiguas y Macario pensó que el forastero debía de ser un hombre venido de tierras muy lejanas, porque nunca había visto sandalias como aquellas.

Poco a poco fue elevando la vista hasta descubrir un personaje en el que el hambre se manifestaba en forma espantosa. En su cara no quedaba rastro alguno de carne, todo era hueso, como sólo hueso eran las piernas y las manos del nuevo visitante. Sus ojos parecían dos grandes agujeros oscuros cavados en aquella cara descarnada. La boca estaba constituida por dos hileras de recios dientes descubiertos por la carencia de labios. Se apoyaba en un largo bastón de caminar. Iba cubierto por una túnica azulina, de una tela que no era ni algodón, ni seda, ni lana, ni material alguno conocido por Macario. Del cinturón, descuidadamente colocado alrededor de la túnica, colgaba una caja de caoba muy maltratada, de la que partía el tictac de un reloj.

Fue aquella caja, que este personaje traía en lugar del reloj de arena fina que Macario esperaba ver, lo que confundió sus ideas acerca de quién podía ser el nuevo importuno.

Al comenzar a hablar, el forastero lo hizo con una voz semejante al sonido producido por el choque pesado de dos trozos de madera.

—Ay, compadre, tengo hambre, mucha, muchísima hambre.

—No hay para qué hablar de ello, compadre, ya lo veo —dijo Macario sin mostrar el menor temor por la horrible apariencia del recién llegado.

—Ya que puedes verlo, no dudarás de que necesito algo en el estómago. ¿No quieres darme esa pierna del pavo que te disponías a cortar? —preguntó el extraño visitante.

Macario, lanzando una exclamación desesperada y levantando los brazos con el gesto de un ser humano vencido después de tenaz lucha, dijo:

—Bien —y con voz plañidera agregó—: ¿Qué puede hacer un mortal contra el destino? Nada. Tenía que sucumbir finalmente. Ya lo presentía. No hay escape posible. Hubiera podido gozar de gran ventura, pero el destino no lo quiso, y así debe ser. Nunca tendré un pavo entero para mí solo. Nunca, nunca. Así, pues, ¿qué hacer? Bien, compadre, llénese la barriga, yo bien sé lo que es tener hambre. Nunca he tenido otra cosa en mi vida. Siéntese, siéntese frente a mí. Medio pavo es suyo, gócelo.

—¡Ay, compadre, qué delicia, qué agradable! —exclamaba el visitante restregándose las manos y sentándose frente a Macario. Al hablar movía sus hileras de dientes como si tratara de sonreír o de triturar algo.

Macario no pudo explicarse lo que significaba aquella mueca de su huésped. Era difícil saber si pretendía con ello mostrar su agradecimiento o su alegría al verse salvado de un seguro desenlace fatal causado por inanición.

—Partiré en dos el ave —dijo Macario al mismo tiempo que procedía rápidamente a hacerlo, pues temía la llegada de un tercer pedigüeño que redujera su porción a una tercera parte.

—Vuelva su cara hacia atrás, por favor, compadre —recomendó Macario a su huésped inesperado—, porque voy a poner mi machete en medio de las dos partes y usted me dice cuál de las dos desea, si la del lado del filo de mi machete o la otra, porque así me parece más justo. Que usted escoja, ¿sabe? Para evitar dificultades o pleitos que yo no quiero. ¿Le parece bien, compadre?

—Perfectamente —contestó el convidado volviendo su cara hacia un lado e indicando a Macario la parte por él elegida.

VI

Comieron juntos, y fue aquélla una comida alegre, salpicada de flores de ingenio y de chistes jugosos por parte del huésped, así como de grandes risas y carcajadas por parte del anfitrión.

—¿Sabe usted, compadre? —dijo Macario—. Al principio me desconcerté porque la figura de usted no está de acuerdo con la idea que tenía formada de los muchos retratos que he visto de usted en la iglesia. Esa caja de caoba, que lleva usted colgada del cinturón con un reloj dentro, me confundió y me dificultó el que lo reconociera prontamente.

¿Qué ha hecho usted de su reloj de arena, si no es indiscreción?

—Ninguna indiscreción. No hay secreto alguno en ello. Y si lo deseas puedes decir al mundo lo que ocurrió con él. Verás; hubo una guerra en Europa, lugar que es precisamente por sus eternas guerras la parte del mundo en donde mis cosechas son mayores. Pues bien, ocurrió que en una cierta batalla tuve que correr de un lado para otro como si todavía fuera joven. Fui de la Ceca a la Meca hasta quedar completamente extenuado y casi loco. Por ello no disponía de mucho tiempo para cuidar de mi persona, como lo he hecho siempre para conservarme bien, y parece que una bala de cañón, mal disparada por un artillero inglés borracho, se estrelló contra mi reloj de arena, y lo averió de tal modo que ya no fue posible al viejo herrero Plutón, a quien gustan esa clase de trabajos, componerlo. Busqué por dondequiera, pero no pude encontrar uno nuevo, pues han dejado de fabricarlos y sólo existen algunas imitaciones que se usan como adorno entre otras *chácharas* inservibles. Traté de sacar uno de algún museo, pero me enteré horrorizado de que todos eran imitaciones y no había ninguno auténtico.

—Perdón, compadre, ¿qué es un museo?

—¡Ah, eso...! Pues te diré, Macario, son grandes salas que en muchos países europeos tienen los gobiernos para exhibir todo lo que han robado de otros países o que se han llevado como botín de guerra de los pueblos vencidos. En algunas naciones de América los tienen para que malos funcionarios tomen lo que les gusta y se lo lleven a su casa.

Dejó de hablar durante algún rato, olvidándose del tema de su conversación, entretenido en saborear un bocado de carne blanca. Al cabo de la pausa, continuó:

—¿En qué íbamos, compadre?

—En los museos. En que todos los relojes de arena que había en los museos eran falsos. Puras imitaciones.

—Cierto. Así, pues, me encontraba sin un

buen reloj de arena. Pero la buena suerte volvió a mi lado. Sucedió que poco tiempo después visité a un capitán que se hallaba sentado en su cabina mientras su barco se hundía y la tripulación, a salvo en los botes, se alejaba remando. Aquel capitán, como todo buen capitán británico, se hundía con su barco, haciendo las últimas anotaciones en el libro de bitácora. Cuando me descubrió parado a su derecha me dijo: "Bien, señor, parece que ha llegado mi hora." "Así es, capitán", confirmé, sonriendo para hacerle el trance menos pesado y para que olvidase a los que dejaba. Entonces miró su cronómetro y dijo: "Señor, solamente le pido que me conceda quince segundos más para escribir las últimas líneas en mi diario." "¡Concedido!", repuse yo. Y él se sintió feliz de poder escribir la hora exacta, que era lo que le faltaba. Entonces yo, viéndolo tan feliz, le pregunté: "Dígame, capitán, ¿querría usted darme su cronómetro?; creo que podrá prescindir de él ahora que para nada lo necesita. A bordo del barco que guiará de ahora en adelante, el tiempo carecerá de importancia. Se lo pido, porque habrá usted de saber que mi reloj de arena fue deshecho por la bala de un cañón británico y creo justo obtener a cambio de él un cronómetro inglés".

—Ah, entonces cronómetro le llaman ustedes a un relojito de esta clase. No sabía eso tampoco —interrumpió Macario.

—Sí —dijo su acompañante, sonriendo con sus dientes desnudos—. La única diferencia es que un cronómetro es cien veces más exacto que cualquier reloj común. Bueno, compadre. ¿Dónde íbamos otra vez?

—En que le pidió usted al capitán del barco su cro. . .

—. . .nómetro, correcto. Bueno, y así cuando le pedí que me diera ese precioso reloj, él me explicó: "Vaya, no podía usted pedirme nada mejor, ya que ese cronómetro es de mi propiedad particular y puedo hacer con él lo que me plazca. Si perteneciera a la compañía naviera me vería precisado a negarle ese compañero tan útil. Está perfectamente ajustado.

Precisamente unos días antes de iniciar este viaje, lo mandé arreglar, y le aseguro a usted que puede tener plena confianza en esa maquinita preciosa, una confianza cien veces mayor de la que pudiera tener en su antiguo reloj de arena."

"Inmediatamente cogí este aparato fino y abandoné el barco que se encontraba ya totalmente cubierto por las aguas. Bueno, así es como llegué a hacerme con el cronómetro, olvidando el viejo reloj de arena de otros tiempos. Y he de decirle a usted, compadre, que este artefacto inglés trabaja tan a la perfección que desde que lo tengo no he llegado tarde a ninguna de mis citas. ¡Es uno de los tantos favores que le debe la humanidad a los ingleses! En tanto que antes, más de un sujeto, para quien el ataúd o la canasta o el costal habían sido ya preparados, se me escapaba. Y eso de escaparse así resulta mal negocio para todos y especialmente para mí, pues con ello mi reputación se lesiona. Pero ya no volverá a ocurrir jamás."

Así conversaron, bromearon, rieron y juntos y se sintieron tan alegres como viejos conocidos que se en cuentran después de largo tiempo de no verse.

VII

Sin duda el huésped de Macario gustó del pavo, pues tuvo un sinfín de alabanzas para la buena mujer que lo había cocinado tan bien.

De vez en cuando quedaba como fascinado por el encanto de aquella excelente comida y trataba de humedecerse los labios ausentes con una lengua que no tenía.

Macario, sin embargo, sabía interpretar aquel gesto y entendía por él que su acompañante estaba satisfecho y se sentía contento a su manera.

—Antes que yo llegara tuviste otros dos visitantes, ¿verdad? —le preguntó en el curso de su conversación.

—Cierto. ¿Cómo lo sabe usted, compadre?

—Yo tengo que saber todo lo que ocurre en el mundo. Porque has de saber, Macario, que en cierta forma, yo soy el jefe de la Policía secreta de... de... bueno. tú sabes a quien me refiero, porque el caso es que no me está permitido mencionar su nombre. ¿Reconociste a esos dos visitantes?

—Desde luego, o ¿cree usted acaso que soy un hereje?

Su huésped continuó:

—El primero era ese que tantas dificultades nos causa, el Demonio.

—Ya lo sabía —dijo Macario convencido—. Ese tipo puede presentárseme bajo cualquier disfraz, el que guste, que de todos modos lo conozco. En esta ocasión trató de engañarme, presentándose vestido como un charro, pero cometió algunos errores en su disfraz, como pasa a todos los que no son auténticos, por eso no me fue difícil descubrir que era un falso charro, un impostor.

—¿Por qué, entonces, sabiendo quién era no le diste un pedacito de tu pavo? Tú sabes que él puede causarte muchos daños.

—A mí no, compadre, yo conozco bien sus mañas y lo que él quería era atraparme. ¿Por qué había yo de darle parte de mi pavo? Claramente se veía que era rico, pues ostentaba tanto dinero, que hasta lo llevaba cosido en los pantalones por fuera. Así, pues, si hubiera querido, habría podido comprar no un pavo, sino media docena de pavos asados y dos puercos al horno en la primera posada del camino. Por eso no le hacían falta ni una pierna ni un solo alón de mi pavo.

—El segundo visitante era... bien, tú sabes a quién me refiero. ¿Lo reconociste, verdad?

—Desde luego, ¿acaso no soy cristiano? Lo habría reconocido en cualquier parte. Sentí mucho tener que negarle un pedacito, porque fácilmente se veía que tenía mucha hambre y necesitaba con urgencia algún alimento. Pero ¿quién soy yo, pobre pecador, para honrarme dando a Nuestro Señor un trocito de mi pavo asado? Su padre posee todo el mundo y es dueño de todas las aves, porque él lo hace todo, y puede dar a su hijo cuantos pavos desee. Además, Nuestro Señor, capaz de alimentar con dos peces y cinco piezas de pan a cinco mil personas hambrientas, en una sola tarde, satisfaciendo su hambre y quedándole además una docena de sacos llenos de migas y sobras, bien puede con una delicada hojita de pasto alimentarse si realmente tiene hambre. Por ello habría yo considerado un gran pecado darle una pierna de mi pavo. Además, el que puede con una sola palabra cambiar en vino el agua, puede asimismo hacer que esa hormiguita, que corre por allí llevando a cuestas una miga, se convierta en pavo asado con todo el relleno y los aderezos necesarios. ¿Quién soy yo, pobre leñador con once hijos que alimentar, para humillar a Nuestro Señor, haciéndole aceptar de mis manos de pecador una pierna de mi pavo asado? Yo soy un hijo fiel de la Iglesia, y como tal tengo que respetar el poder de Nuestro Señor.

—Vaya filosofía, compadre —dijo el desconocido—. Puedo asegurarte que tienes una mente sana y que tu cerebro funciona perfectamente en lo que se relaciona con la protección de lo que es tuyo.

—Nunca me había dicho eso nadie, compadre —dijo Macario.

—Lo único que me intriga ahora es tu actitud hacia mí —dijo el visitante, limpiando el hueso de un alón con sus recios dientes—. Lo que quiero decir es que... bueno, ¿por qué me diste la mitad de tu pavo cuando solamente unos minutos antes habías negado hasta un alón al Diablo y a Nuestro Señor.

—¡Ah! —exclamó Macario, subrayando con un ademán su exclamación—, eso es diferente. La cosa con usted es distinta por una razón: yo soy humano y sé lo que es el hambre y lo que es sentirse morir de necesidad. Además, yo nunca he sabido que usted tenga poder para crear o transformar alguna cosa. Usted no es más que un servidor obediente del Supremo Juez. Tampoco tiene usted dinero para comprar algo, porque ni siquiera tiene bolsillos en su traje o lleva algún morral consigo. Es cierto que he tenido el mal corazón de negar a mi mujer un bocado del pavo que ella preparó para mí con todo su amor. Tuve el mal corazón de hacerlo porque siendo delgada como es, no se ve ni en una pequeñísima parte tan hambrienta como usted. Tuve voluntad suficiente para no darles a mis pobrecitos hijos, siempre deseosos de comer, algunos bocados de mi pavo, porque a pesar de lo hambrientos que están, ninguno está ni en una pequeñísima parte tan hambriento como usted.

—Vamos, compadre, vamos —dijo el huésped, haciendo visibles esfuerzos por sonreír con los labios que no poseía—. No le des tantas vueltas al asunto. Eres en verdad muy ingenioso. Pero dime la verdad, no temas lastimarme. Tú dijiste, cuando empezaste a hablar, que atendiendo a una razón me habías convidado. Ahora dime, ¿cuál es la otra?

—Bien, compadre —contestó Macario—. En cuanto le vi comprendí que no me quedaba tiempo de comer ni una sola pierna y que tendría que abandonar el pavo entero. Cuando usted se aparece ya no da tiempo de nada. Así, pues, pensé: "Mientras él coma, comeré yo", y por eso partí el pavo en dos.

VIII

El convidado miró a su anfitrión con sorpresa retratada en las profundas cuencas abandonadas por los ojos, sonrió y estalló después en una carcajada cordial, haciendo un ruido semejante al producido por los golpes de un bastón sobre un barril.

—Por el gran Júpiter, compadre, ¡qué listo eres! No recuerdo haber encontrado otro más listo desde hace largo tiempo y que supiera esquivar tan hábilmente su última hora. ¡Ni siquiera me tuviste miedo! Realmente mereces que yo te seleccione para prestarme cierto servicio, un servicio que hará mi existencia solitaria menos aburrida de vez en cuando. Habrás de saber, compadre, que alguna vez gusto de jugar bromas a los hombres. Bromas que no hieren a nadie y que me divierten haciendo que mi trabajo sea menos monótono, ¿comprendes?

—Creo que sí.

—¿Sabes lo que voy a hacer para compensarte justamente por la comida que me has ofrecido tan generosamente?

—¿Cómo, compadre? Oh, por favor, señor, no me haga su ayudante. No haga eso, por favor. Cualquier otra cosa que desee usted, bien; pero que no sea ayudarlo.

—Yo no necesito ayudantes y nunca los tuve. No, se trata de algo bien distinto. Te convertiré en doctor, en un gran doctor capaz de eclipsar a todos esos médicos y cirujanos sabihondos que tan a menudo me hacen desagradables jugarretas con la idea de ridiculizarme. Eso es lo que voy a hacer, a convertirte en doctor. Y te prometo que te recompensaré tu pavo un millón de veces.

Al terminar de hablar se levantó, caminó unos veinte metros, miró al suelo, seco y arenoso por aquella época del año, y dijo:

—Compadre, trae acá tu guaje; sí, esa botella que tienes y que parece hecha de una rara calabaza, pero antes tira el agua que hay en ella.

Macario obedeció y se aproximó adonde el visitante lo esperaba. Este dio unos siete golpes con el pie sobre la tierra y se mantuvo quieto durante algunos minutos, al cabo de los cuales brotó de la tierra seca y arenosa un chorro de agua cristalina.

—Dame tu guaje —ordenó el forastero. Se acercó al chorro de agua y llenó el recipiente de Macario, operación para la que se necesitó algún tiempo, porque el gollete del guaje era muy estrecho.

Cuando estuvo lleno, el visitante se arrodilló, golpeó la tierra con una mano e hizo desaparecer el agua. Después dijo:

—Volvamos al sitio donde comimos, compadre.

Una vez más se sentaron juntos en el suelo. El forastero tendió a Macario el guaje.

—Este líquido, Macario, hará de ti el médico más notable del siglo. Una sola gota bastará para curar cualquier enfermedad, y si digo cualquier enfermedad me refiero a aquellas consideradas como incurables, como fatales. Pero entiende y entiéndelo bien, compadre; una vez que se haya agotado la última gota, no podrás obtener ni una más, por lo que el poder curativo que tienes habrá terminado para siempre.

IX

A Macario no le había impresionado lo más mínimo aquel gran regalo y vaciló antes de tomarlo.

—No sé si deba aceptar esto de usted, porque habrá de saber, compadre, que yo he sido feliz a mi modo. Cierto que he sufrido de hambre toda mi vida, que siempre me he sentido cansado y que he tenido que luchar constantemente para mantener a mis hijos. Pero eso ocurre a todas las gentes de mi clase. Aceptamos esta vida, porque fue la que nos dieron, y nos sentimos felices a nuestra manera, porque siempre estamos procurando hacer algo bueno de una cosa malísima y en la que aparentemente no cabe esperanza alguna. El pavo que acabamos de comer era la ambición más grande de mi vida. Nunca mis deseos fueron más allá de un pavo asado con todos sus aderezos para comerlo yo solo, en paz, sin tener alrededor los ojos hambrientos de mis muchachos contando hasta el último bocado que me echara al estómago.

—Pero ahora no pudiste disfrutar de tu pavo completo. Me diste la mitad y en esa forma tu mayor ambición sobre la tierra no se te ha cumplido.

—Pero usted sabe bien, compadre, que yo no podía elegir, tratándose del personaje que me pedía compartiera con él mi comida —dijo Macario con una sonrisa burlona en los labios.

Su huésped le devolvió la sonrisa, o por lo menos trató de hacerlo, admitiendo:

—Tal vez tengas razón, hombre, y tal vez no la tengas. Pero ahora no te hablaré del camino que debiste haber tomado, porque tanto uno como otro podían haber resultado iguales. Pero es el hecho de que me hayas invitado a compartir tu pavo, después de negar un pedacito de él tanto al Diablo como a Nuestro Señor, lo que me hace juzgarte como a un hombre listo, merecedor de la buena oportunidad que nunca tuviste.

Después de meditarlo por un minuto, Macario dijo:

—Si ello le complace y cree además que debe compensarme por la comida, llevaré conmigo el agua. En cualquier forma servirá algún día si mi mujer o alguno de los niños se enferma y no encuentro manera de aliviarlos.

—Perfectamente pensado y bien dicho. Solamente que no debes olvidar que, como todas las cosas en la vida, una vez que comiences tendrás que seguir adelante. No habrá manera de retroceder. Pues cuando cures al primer enfermo llegarán otros que querrán ser curados también. Debes usar una sola gota cada vez. Te verás acosado por los que sufren y no podrás negarte. Conozco el mundo; es el mismo desde que me encomendaron el trabajo que desempeño. Nada ha cambiado y nunca cambiará respecto a la actitud de los mortales. Cuida bien el don que te doy.

Macario escuchaba atentamente todas las advertencias.

Su acompañante continuó hablando:

—Algo más, compadre: recuerda que esta medicina es la compensación por el medio pavo que me diste. Pronto desearás un pavo entero tan ardientemente como lo has deseado durante los últimos veinte años. Porque tu deseo aún no ha quedado satisfecho. Y si deseas comprar otro sin esperar varios años más, tendrás que curar a alguien para conseguir el dinero necesario para comprarlo.

—Nunca había pensado en ello —admitió Macario—; pero necesito tener un pavo entero para mí solo, pase lo que pase, o moriré como el más desgraciado de los hombres.

—Desde luego, pero después desearás también otras cosas. Todos los mortales desean probar y hacer muchas cosas antes de marcharse de este mundo. Ahora otra cosa, compadre;

escúchame bien. Adondequiera que te llamen para que atiendas un paciente, allí estaré yo también. Nadie más que tú podrá verme. Cuando me veas parado a los pies de la cama de tu paciente, concrétate a poner una gota de la medicina dentro de un vaso de agua, haz que tu enfermo la beba y antes de que pasen dos días se habrá recuperado completamente. Pero si me ves parado a la cabecera del enfermo, no te tomes el trabajo de usar la medicina, pues mi presencia en ese sitio será señal de que el enfermo debe morir, sin que importen los esfuerzos que tú o muchos médicos hábiles hagan por arrebatármelo. En ese caso no emplees la medicina que te he dado, porque no harías más que desperdiciarla.

"Debes darte precisa cuenta de que el poder divino de que me hallo investido, esto es, el poder de elegir a los que han de abandonar este mundo, mientras los canallas o los muy viejos han de permanecer aún en él, no es transferible a ningún ser humano susceptible de errar o de corromperse. Por ello la decisión final en cada caso debe quedar en mis manos, y tú tendrás que acatarla y respetarla."

—No lo olvidaré, señor —contestó Macario.

—Sí; más vale que lo recuerdes siempre. Y ahora tengo que decirte adiós. La comida estuvo excelente, exquisita, diría yo si comprendieras el significado de esta palabra. He de admitir que he pasado un magnífico rato en tu compañía. El medio pavo que me has brindado restaurará mis fuerzas para otros cien años. Ojalá que cuando vuelva a tener la urgencia que tenía ahora, vuelva a encontrar un anfitrión tan generoso como tú. Muchas gracias, compadre. ¡Adiós!

X

Aquella tarde regresó a su casa sin leña. Su mujer no tenía ni un centavito para los alimentos del día siguiente, los que se obtenían siempre con el producto de la venta de la leña llevada la tarde anterior. Pero no le reprochó su pereza; en aquellos momentos estaba invadida por una sensación encantadora. Por la tarde, cuando lavaba los andrajos de los niños, un extraño rayo dorado, que al parecer no partía del sol, había penetrado todo su cuerpo, y al mismo tiempo había oído dentro de su corazón las dulces notas de una canción venida de muy lejos. A partir de aquel momento, sintió como si caminara suspendida en el espacio y no podía recordar haber gozado jamás de la serenidad de espíritu que la invadía. No comunicó nada de cuanto le ocurría a su marido; lo guardó para sí como una propiedad sagrada.

Cuando sirvió la cena, su rostro se hallaba iluminado aún por aquel rayo dorado. Hasta su marido se percató de ello cuando la miró casualmente, pero no hizo comentario alguno porque estaba demasiado ocupado pensando en sus experiencias de aquel día.

Antes de acostarse aquella noche, más tarde que de costumbre, ya que había dormido bien durante el día allá en el bosque, su esposa le preguntó tímidamente:

—¿Cómo estuvo el pavo, querido esposo?

—¿Por qué preguntas eso? ¿Qué quieres decir? Estaba perfectamente hasta donde a mí me es posible juzgar, dada la poca experiencia que tengo de comer pavo.

No dijo una sola palabra acerca de sus visitantes.

Al día siguiente la familia sufriría de hambre. El desayuno, incluyendo el de Macario, fue como de costumbre, en extremo frugal. Aquella mañana la esposa tuvo necesidad de reducirlo más aún con el propósito de que alcanzase para dos comidas más.

Macario acabó en seguida con el bocado de frijoles negros que le sirvieron. No se quejó porque comprendió que toda la culpa era suya. Tomó su machete, su hacha y sus cuerdas y se lanzó al bosque en la mañana nublada.

A juzgar por la forma natural en que se dirigía a cumplir con su dura labor, parecía haber olvidado la medicina y todos los acontecimientos a los que estaba ligado.

Apenas había dado unos cuantos pasos cuando su mujer lo llamó y le dijo:

—Macario, tu guaje todavía está lleno de agua. ¿Quieres que la tire y le ponga otra nueva? —preguntó mientras jugaba con el tapón.

—Sí, está lleno todavía —admitió él sin temer ni por un instante que su esposa obrara con precipitación tirando el precioso líquido—. Ayer bebí en el arroyito. Dame el guaje lleno como está.

Camino del bosque y a una regular distancia de su casa, que era la última en aquel lado del pueblo, escondió el guaje entre la maleza, enterrándolo.

Aquella noche regresó con la mayor carga de buena leña que había conseguido en muchos meses. Fue vendida en tres reales al primer intento que los hijos mayores hicieron por lograrlo. La familia se sintió poseedora de un millón.

XI

Al día siguiente, Macario volvió a su trabajo como de costumbre.

La noche anterior Macario había dicho como al acaso a su mujer que un tronco muy pesado, cayendo sobre su guaje, se lo había roto.

Aquellos guajes no le costaban nada, porque los hijos mayores los encontraban entre la maleza, donde crecían silvestres.

Regresó nuevamente con otra buena carga de leña, pero la familia no pudo gozar del bien que representaba porque una calamidad había caído sobre ella. La esposa, con la cara hinchada y los ojos irritados de tanto llorar, salió a su encuentro.

—Reginito se nos muere; mi pobrecito niño morirá, se está acabando —lamentóse bañada en lágrimas.

El la miró estúpidamente, como lo hacía siempre que algo anormal ocurría en casa. Cuando su esposa se apartó, notó la presencia de varias mujeres, unas de pie, otras sentadas en cuclillas, próximas al sitio en el que el niño yacía.

La suya era una de las familias más pobres del pueblo, una de las más apreciadas por su honestidad y su modestia, y además porque siempre son más queridas las familias pobres que las ricas.

Aquellas mujeres, al enterarse de la enfermedad del hijo del paupérrimo Macario, acudieron para ayudar a la familia, llevando consigo toda clase de raíces, hierbas y pedazos de corteza de las que usaban en caso de enfermedad. En aquel pueblo no había ni médicos ni medicinas.

Como consecuencia de ello, tampoco había funeraria.

Cada una de las mujeres había llevado una hierba diferente, y cada una sugería un medio distinto para salvar al niño. Durante largas horas habían torturado al pequeño con infinidad de tratamientos, haciéndole cocimientos de raíces, hierbas y huesos molidos.

—Comió demasiado —dijo una de ellas al ver que el padre se aproximaba al niño—; tiene los intestinos retorcidos y no se salvará.

Otro corrigió:

—Está usted equivocada, comadrita, se trata de un cólico.

Otra más agregaba:

—Hemos hecho todo lo posible, pero no vivirá ni una hora más. Uno de nuestros niños murió en la misma forma. Lo sé. Por su carita puedo asegurar qué ya está listo para volar al cielo. ¡Pobre angelito!

Sin prestar atención a los comentarios de las mujeres, Macario miró a su hijo, a quien por ser tan chiquito lo quería con un cariño especial. Era el más pequeño de todos y gustaba de su sonrisa y de que se sentara de vez en cuando en sus piernas y le hiciera cariños en la cara con los deditos de sus manos. A menudo pensaba que la única razón que tenía para soportar su azarosa existencia radicaba en el hecho de que siempre a su alrededor había algún niño sonriendo inocentemente y golpeándose la nariz y las mejillas con los puñitos.

El niño se moría, no cabía duda. El pedazo de espejo colocado por una de las mujeres delante de su boca no mostraba huellas de aliento. Los latidos de su corazón eran imperceptibles por la mujer que hacía presión con la mano sobre el pecho del niño.

El padre se detuvo y miró a la criatura sin saber si debía aproximarse y tocar su carita o permanecer en el sitio en que se encontraba, o dirigirse a los otros niños que se amontonaban en un rincón del jacal, como si se sintieran culpables de aquella desventura. Los pobrecillos no habían cenado y sabían que nada comerían aquella noche debido al terrible estado mental en que su madre se hallaba.

Macario dio la vuelta, se dirigió a la puerta y salió sin saber ni qué hacer ni a donde ir. La aglomeración en su casa no le permitía permanecer en ella. Estaba rendido de la dura jornada, tanto que sentía que las rodillas se le doblaban. Caminó automáticamente por la vereda que conducía al bosque, para encontrar la paz que necesitaba. Al llegar al sitio en que por la mañana había enterrado el guaje, buscó el punto exacto, lo sacó y con una rapidez de movimientos olvidada hacía muchos años regresó al jacal.

—Denme una taza con agua limpia —ordenó en voz alta al abrir la puerta.

Su mujer se apresuró a cumplir sus deseos como si le hubieran inyectado nuevas esperanzas y en un segundo estuvo de vuelta con un jarrito lleno de agua.

—Ahora todos ustedes dejarán el cuarto. Salgan y déjenme solo con mi hijo. Veré qué puedo hacer.

—No tiene objeto, Macario. ¿No ves que se está muriendo? Más vale que te arrodilles y reces mientras expira —aconsejó una de las mujeres.

—Han oído lo que dije y lo harán —contestó él secamente, cortando así toda nueva protesta.

Nunca le había oído su esposa hablar tan bruscamente. Casi asustada, obligó a las otras mujeres a que salieran del cuarto.

Macario se quedó solo. Levantó la vista y vio a su invitado parado al lado opuesto.

Este miró a Macario a través de los negros agujeros que tenía por ojos, vaciló, se encogió y lentamente se dirigió, como si pesara aún su decisión, hacia los pies del niño, y allí permaneció algunos segundos, mientras el padre vertía una dosis generosa de la medicina dentro del jarrito de agua. Al ver que su amigo desaprobaba aquello con un movimiento de cabeza, Macario recordó que la dosis no debía exceder de una gota, cantidad suficiente para curar. Pero era demasiado tarde.

el líquido no podía restituirse a la botella porque se había mezclado con agua fresca.

Macario levantó la cara del niño y forzó su boquita exánime abriéndola y vertiendo un poco del líquido dentro de ella, cuidando de que no se desperdiciara. Para su regocijo notó que una vez que la boca del niño se humedecía, éste empezaba a beber voluntariamente terminando por consumir todo el líquido que contenía el jarrito. No bien la medicina hubo alcanzado el estómago cuando el niño empezó a respirar con libertad, el color volvió lentamente a su pálido rostro y movió la cabeza en busca de acomodo.

El padre esperó algunos instantes más, y al ver que el niño se recobraba con rapidez milagrosa, llamó a su mujer.

Una mirada bastó a la madre para arrodillarse ante el niño gritando:

—¡Benditos sean Dios y la Virgen! Gracias, gracias, Dios santo; mi nene vivirá.

Al escuchar la explosión, todas las mujeres que habían estado esperando afuera se precipitaron al interior, y viendo lo que había ocurrido durante la permanencia del padre con el hijo, se santiguaron y miraron a Macario como si fuera un extraño al que vieran por primera vez.

Una hora más tarde todo el pueblo se hallaba reunido en la casa de Macario para ver con sus propios ojos si era cierto lo que las mujeres habían publicado con gran rapidez.

El niño, con las mejillas sonrosadas, con los puñitos apretados contra su barba, reposaba dormido. Claramente se veía que todo peligro había pasado.

A la mañana siguiente, Macario se levantó a la hora usual, se sentó para tomar el frugal desayuno, buscó su machete, su hacha, sus cuerdas y, taciturno como siempre, dejó el jacal para salir a los bosques a cortar leña. Llevó consigo el guaje que contenía la medicina y lo enterró en el mismo sitio en que lo había ocultado con anterioridad.

XII

Continuó su vida de siempre durante seis semanas, al cabo de las cuales, una noche, de vuelta a su hogar, encontró a Ramiro que estaba esperándole para suplicarle que fuera a ver a su esposa, que se encontraba enferma hacía cuatro semanas y se hallaba agonizante. Ramiro era el tendero principal del pueblo y el hombre más rico del lugar. Explicó que había oído hablar del poder curativo de Macario y que deseaba que lo probara con su joven esposa.

—Tráigame una botellita, una botella pequeñita de las que tiene en su tienda. Aquí lo esperaré, pensando mientras en lo que puedo hacer por su esposa...

Ramiro trajo el frasquito.

—¿Qué vas a hacer con esa botellita, Macario? —preguntó con curiosidad.

—Ya verá usted. Vaya a casa y espéreme allí. Necesito ver a su mujer para decir si puedo curarla o no. Nada le ocurrirá mientras llego, no se preocupe. Entre tanto, necesito salir al campo y buscar algunas hierbas que conozco.

Salió, buscó su guaje, llenó hasta la mitad el frasquito de cristal con la medicina, volvió a esconder el guaje y se dirigió hacia la tienda de Ramiro, instalada en una de las tres casas de ladrillo del pueblo.

La mujer se hallaba próxima a morir, su estado era el mismo que aquel en que Macario había encontrado a su hijito.

Ramiro le miró interrogante. Macario le pidió que lo dejara solo con la enferma.

Ramiro obedeció, no sin sentir celos de su joven y bella esposa, bella a pesar de hallarse agonizante, y con quien hacía menos de un año que se encontraba casado, y púsose a observar a través del agujero de la llave lo que Macario hacía. Este, próximo a la puerta, la abrió repentinamente para pedir un vaso de agua. Ramiro, con la cara pegada a la cerradura, no pudo moverse rápidamente y cuando Macario tiró con fuerza cayó de bruces dentro de la pieza.

—No es un acto muy encomiable, don Ramiro —dijo Macario al advertir lo que el celoso hacía—. Sólo por eso debía negarme a devolverle su esposa. ¡No la merece y usted lo sabe!

Ramiro se detuvo sorprendido. No comprendía lo que le ocurría, no podía explicarse cómo era posible que el más pobre y humilde hombre de la aldea, aquel modesto leñador, se atreviera a hablarle en esos términos a él, el más rico y encumbrado, el señor a quien difícilmente el alcalde se habría atrevido a interpelar en aquellos términos. Pero Macario, al ver a Ramiro parado ante él, humillado, con gesto de mendigo, temblando ante la idea de que se negara a devolver la salud a su esposa, comprendió súbitamente que había adquirido un gran poder y que hasta el altivo Ramiro le reconocía la facultad de hacer milagros.

Ramiro le pidió humildemente que lo excusara por haber atisbado y le rogó en forma lastimera que salvase a su esposa, que en menos de cuatro meses le daría un hijo.

—¿Cuánto pedirás por devolvérmela sana y fuerte como era?

—No vendo mi medicina; no soy yo el que le pone precio; es usted, don Ramiro, quien debe fijar el precio. Sólo usted sabe el valor que su esposa tiene para usted. Así, pues, usted dirá cuánto.

—¿Serán suficientes diez monedas de oro, querido Macario?

—¿Es el equivalente de diez monedas de oro lo que su mujer vale para usted?

—No lo tomes en esa forma, Macario. Desde luego que ella vale para mí más que ningún dinero. El dinero me será posible adquirirlo cualquier día, cuando Dios me lo permita. Pero si mi mujer muere, ¿me será posible encontrar otra como ella? No, en toda la redondez del mundo. Te daré cien monedas de oro, pero por favor, sálvala.

Macario conocía a Ramiro bien, demasiado bien. Ambos habían nacido y crecido en el pueblo. Ramiro, hijo del comerciante más rico del lugar, ocupaba ahora su sitio. Macario, hijo del leñador más pobre, le había sucedido hasta en el hecho de tener la familia más numerosa de todas. Macario conocía a Ramiro perfectamente y sabía que una vez que le devolviera la salud a su esposa, trataría de regatear todo cuanto pudiera el pago de las cien piezas de oro. Si Macario no accedía, tendrían sin duda una larga y agria disputa. Pensando en ello, dijo.

—Tomaré las diez piezas de oro que me ofreció en un principio.

—Ah, Macario, gracias. Te lo agradezco, te lo agradezco de veras y no por la rebaja, sino por tu buena voluntad. Nunca olvidaré lo que has hecho por nosotros, te lo aseguro. Mi gran esperanza es que también el nonato se salve.

—Será —dijo Macario seguro de su éxito, pues había visto a su convidado en el sitio bueno.

—Ahora tráigame un vaso de agua —ordenó a Ramiro.

El agua fue traída y Macario conminó al comerciante, diciéndole:

—No se atreva usted a espiar nuevamente, porque si lo hace puedo fallar y usted será el único culpable. Así, pues, recuerde: no debe espiar ni vigilar. Ahora, déjeme solo con la paciente.

En esta ocasión, Macario tuvo gran cuidado en no usar más que la dosis indispensable del valioso líquido. Y hasta trató de dividir en dos una gota. Por su conversación con Ramiro se percató del valor incalculable de la medicina, capaz de convertir en humilde mortal a aquel altanero rico, hasta el grado de inducirlo a humillarse ante el modesto leñador, único que podía administrarla y salvar la vida de su esposa. Al darse cuenta del hecho y no obstante la lentitud con que su mente trabajaba, Macario tuvo la visión de lo que podía alcanzar olvidando su oficio de leñador y dedicándose únicamente a la aplicación de su medicina. Naturalmente, la quintaesencia de un futuro feliz era para él la posesión ilimitada de pavos asados.

Al tratar de dividir la gota en dos, Macario se volvió a su compañero en busca de consejo. Este hizo un signo aprobatorio con la cabeza.

Dos días después la esposa de Ramiro se había recobrado totalmente, tanto que ella misma comunicó a su esposo que estaba segura de que el niño no había sufrido lo más mínimo a causa de su enfermedad.

Ramiro entregó a Macario con gran regocijo las diez monedas, no sólo sin regatear un ápice, sino agregando mil gracias. Invitó a toda la familia a su tienda, en donde todos, esposo, esposa e hijos, tomaron tanto de lo que deseaban como pudieron transportar en sus brazos. Además, ofreció una espléndida cena, a la que fueron invitados de honor.

Después, Macario pudo construir una buena casa y obtener algunas parcelas cuyo cultivo emprendió, pues Ramiro le facilitó cien piezas de oro con bajísimo interés.

Bueno, existía otro interés bien alto. Ramiro le hacía el préstamo no sólo por gratitud; era demasiado buen negociante para soltar su dinero sin la perspectiva de buenas ganancias. Se daba cuenta de que Macario tenía un gran porvenir y que retenerlo por todos los medios en el pueblo, obligando así a la gente a que viniera a consultarle en vez de dejar que él fuera a la ciudad, representaría una gran inversión. Confiado en el próximo auge de la ciudad, Ramiro agregó a los muchos giros de su negocio los de hospedaje y bancarios.

Comerció con la habilidad de Macario y ganó. Ganó más allá de lo que había imaginado. Fue él quien hizo toda la propaganda necesaria para concentrar la atención de las gentes en las cualidades de Macario. Bastaron apenas unas cuantas cartas enviadas a amigos comerciantes para que una procesión de enfermos desahuciados llegaran al pueblo con esperanzas de curación.

Pronto fue fácil para Macario el construirse una verdadera residencia rodeada de parques y jardines. Sus hijos tuvieron maestros de latín y de varias ciencias y fueron después enviados a las universidades de París y Salamanca. Las cosas ocurrían tal y como su huésped de un día le había prometido. Aquel medio pavo le era recompensado más allá de lo concebible.

XIII

No obstante su fama y riqueza, Macario se conservó honesto e incorruptible. Cualquiera que acudía en demanda de curación era interrogado acerca del valor que le daba a su salud. Siguiendo la forma que desde un principio había adoptado, eran el paciente o sus parientes quienes debían fijar el precio de la curación.

Si un pobre hombre o una pobre mujer no podían ofrecerle sino sólo unos cuantos centavos, o un puerquito, o un gallo, gozaban exactamente de la misma atención que los ricos, a quienes en ocasiones había llegado a cobrar hasta veinte mil doblones de oro. Curó a hombres y mujeres de la más elevada alcurnia, que habían cruzado el océano procedentes de España, Italia, Francia, Portugal y otros países con el único fin de ser curados por él.

Y así como conservaba su honestidad en cuanto al precio, la conservaba en lo relativo a sus posibilidades de impartir salud. Si alguien lo consultaba y él tenía la certeza de no poder hacer nada, atendiendo a la actitud de su huésped, no cobraba en absoluto por la consulta.

Todas las personas, sin excepción, aceptaban su veredicto final sin discusión. No intentaban en absoluto argüir con él una vez que declaraba su impotencia para ayudarlos. Más o menos salvaba a la mitad de las gentes que le consultaban; la otra parte era reclamada por su socio. Ocurría muchas veces que durante semanas enteras no le era dado curar a un solo paciente, porque su socio decidía lo contrario.

Al principio de su práctica había logrado dividir cada gota en dos, más tarde en cuatro y después en partículas pequeñísimas, valiéndose de un sin fin de mañas. Pero a pesar de éstas, y de cuantos esfuerzos hacía por reducir sus dosis cada vez más, la medicina disminuía en forma alarmante. En el primer mes de su ejercicio había vaciado el contenido del guaje en botellas de cristal oscuro perfectamente selladas, para evitar que el líquido escapara evaporándose a través de los poros del guaje.

La última botella había sido abierta meses atrás y cierto día Macario se percató horrorizado de que en ella quedaban a lo sumo dos gotas. Consecuentemente decidió hacer saber que se retiraría y que no curaría a nadie más.

Había envejecido y pensó que ya tenía derecho a pasar tranquilamente los últimos años de su vida. Además, deseaba reservar las dos últimas gotas de medicina para su familia, especialmente para su amada esposa, a quien ya había tenido que curar dos veces en los últimos cinco años, ocasiones en que la posibilidad de perderla le había llevado a considerar lo insoportable que para él sería esa pérdida.

XIV

Justamente por aquellos días ocurrió que el hijo, de ocho años, del Virrey don Juan, marqués de Casafuerte, el más alto personaje de la Nueva España, enfermó. Fueron llamados los médicos más famosos, pero ninguno pudo hacer nada por el nino. Todos aceptaron que el mal era desconocido para la ciencia médica. El Virrev había oído nombrar a Macario, pero debido a su dignidad, educación y elevada posición política y social, lo consideraba como merolico, más aún cuando era ése el nombre que le daban los médicos acreditados con un título universitario.

La madre del niño, sin embargo, menos dada a la dignidad cuando de la vida de su hijo de trataba, molestó tanto al Virrey con su insistencia, que éste, finalmente, optó por llamar a Macario.

Macario no gustaba de viajar, raramente dejaba su pueblo y cuando lo hacía era para dirigirse no muy lejos. Pero una orden dada por el Virrey en persona debía atenderse o pagar con la vida la desobediencia. Así, pues, tuvo que ir.

En presencia del Virrey, se le dijo lo que de él se esperaba. Aquél, no dando crédito a los milagros que se decía habían sido realizados por Macario, se dirigió a él en los términos que habría empleado para hablar a cualquier leñador nativo.

—No he sido yo quien te ha llamado y quiero que esto quede perfectamente aclarado. Mi esposa es quien ha insistido en traerte aquí para que salves a nuestro hijo, que, según parece, no hay sabio médico que le pueda curar. Quiero que comprendas claramente ahora que, en el caso de que en realidad cures a nuestro hijo, te daré la cuarta parte de mi fortuna y tendrás, además, derecho a pedir cualquier cosa que te guste en palacio, no importa cuál sea ni qué valor tenga. Aparte de todo eso, yo mismo te expediré una licencia que te acredite para ejercer la medicina en cualquier parte de la Nueva España, con los mismos derechos y privilegios de que puede gozar cualquier médico titulado. A ello se agregará una carta con mi sello, por medio del cual te convertirás en persona con fuero a la que no habrá policía ni soldado que pueda arrestar ni acción penal injustificada que le pueda alcanzar. Creo que la recompensa por tus servicios será regia.

Macario hizo un signo de asentimiento, sin decir palabra. El Virrey continuó:

—Las promesas que te hago son apegadas a las sugestiones hechas por Su Alteza, la marquesa mi esposa, y cuando yo prometo algo, lo cumplo. Pero ahora debes escuchar mi opinión: si fracasas en salvar a mi hijo te entregaré al alto tribunal de la Inquisición, bajo el cargo de hechicería y de pacto con el Diablo por lo que serás quemado vivo públicamente en la Alameda.

El Virrey se detuvo para espiar la impresión que su amenaza causaba a Macario. Este palideció, pero nada dijo.

—¿Has comprendido bien lo que te he dicho? —preguntó el Virrey.

—He comprendido, Alteza —dijo Macario brevemente con un ligero temblor, y haciendo una torpe reverencia.

—Ahora, yo, personalmente, te llevaré junto a nuestro niño enfermo. Sígueme.

Entraron al cuarto del niño, al que dos hermanas de la caridad vigilaban impotentes, tratando sólo de que estuviera cómodo. La madre no estaba presente. Se hallaba, por orden del médico de cabecera, confinada en sus habitaciones.

El niño descansaba sobre una camita de madera fina, pero sin grandes adornos.

Macario se aproximó al enfermito y miró

en rededor buscando ansiosamente a su viejo convidado. Se palpó la bolsa del pantalón para asegurarse de que llevaba el frasquito de cristal que contenía las últimas gotas de la medicina que aquel lejano día le había dado su extraño huésped.

Después dijo al Virrey:

—¿Sería usted tan amable, Alteza, de dejar la pieza por una hora, ordenando a todos que la abandonen a fin de que pueda yo quedar solo con el paciente?

El marqués titubeó, temeroso de que aquel campesino, un indio ignorante, hiciera algún daño al niño cuando se quedara a solas con él.

Al percatarse Macario de la expresión de desasosiego del Virrey, recordó la primera curación que había hecho a un extraño, a la mujer de Ramiro, el comerciante de su pueblo. Ramiro había vacilado, al igual que el Virrey, en abandonar la pieza, cuando él se lo había pedido a fin de quedar a solas con la enferma.

Aquellos dos casos eran los únicos durante su larga práctica en los que viera la duda pintada en el semblante de los familiares.

Macario se dio a cavilar si tendría alguna significación en su destino que en aquel momento, cuando sólo le quedaban dos gotas de la medicina, otra persona que solicitaba el gran servicio expresara duda en su semblante y no confiara en él, que era la única persona que podía prestárselo.

XV

Por fin se encontró a solas con el niño y de pronto vio aparecer a su antiguo convidado, parado a la cabecera del enfermo.

No habían vuelto a hablar entre sí una sola vez desde aquélla en que compartieran el pavo.

Siempre, cuando se encontraban en la pieza de un enfermo, se concretaban a cambiar unas cuantas miradas.

Macario nunca le había pedido favores especiales.

Nunca le había reclamado a alguno de los enfermos que aquél decidía llevarse. Hasta había dejado que tomara a dos de sus nietecitos, sin la menor protesta.

Pero en esta ocasión todo era diferente. Si fracasaba sería quemado vivo en la plaza pública, acusado de hechicería y de tener pactos con el Diablo. Sus hijos, que gozaban todos de elevada posición, caerían en desgracia por la condena que la Santa Inquisición le impondría y que era la más infamante muerte que podía sufrir un cristiano. Todas las propiedades que poseía y que pensaba que heredasen sus hijos y nietos, le serían confiscadas como bienes mal habidos, para pasar a manos de la Iglesia.

No le importaba perder una fortuna que nunca había tenido gran importancia para él, pero lo que le preocupaba sobre todo era la felicidad de sus hijos y más que la de ellos, la de su mujer, en quien pensaba intensamente en aquel terrible momento de su vida. Ella se volvería loca de pena cuando supiera lo que le había ocurrido a él en aquella gran ciudad, tan lejana de su hogar, al sentirse incapaz de ayudarlo o por lo menos de confortarlo durante las pocas horas que le quedaban en la tierra. Y fue por ella, no por él, por quien en aquella ocasión decidió pedir a su socio que tuviera consideraciones especiales.

XVI

—Déme a este niño, por favor —le rogaba—. Démelo en nombre de nuestra vieja amistad. Yo nunca le he pedido favor alguno a cambio del medio pavo que se comió tan gustoso en aquella comida a la que le invité cuando tanta necesidad tenía. Entonces usted me dio voluntariamente algo que yo no le pedía. Ahora sí pido a usted que me dé a este niño. Verteré la última gota de la medicina y romperé el frasco para que no quede ni siquiera un cristalito húmedo que pudiera aprovecharse para otra curación. Por favor, déme este niño. No es por mí por quien se lo pido, es por mi fiel, leal y amada esposa. Usted sabe, o por lo menos puede imaginar, lo que significa para una familia cristiana que uno de sus miembros sea quemado vivo en la plaza pública. Por favor, déjeme a este niño. No tomaré ni tocaré las riquezas que me ofrecen por curarlo.

"Mire, señor, cuando me encontró, yo era un hombre pobre, pero era feliz a mi manera. No me importa volver a ser tan pobre como entonces. Estoy dispuesto a cortar leña nuevamente como cuando usted me encontró por primera vez. Lo único que le pido es que por favor me dé a este niño. Por aquella comida, ¿recuerda, compadre?"

Su interlocutor le miró largamente con los negros y profundos agujeros de sus ojos. Si tenía corazón, sin duda lo consultaba en aquellos momentos. Parecía concentrarse deliberando consigo mismo sobre aquel caso para encontrar la mejor solución posible. Sin duda alguna tenía órdenes de llevarse al chiquillo. No podía expresar sus pensamientos ni con gestos ni con miradas, pero su actitud ponía de manifiesto claramente su deseo de ayudar a Macario. Aparentemente en este caso particular era imposible encontrar una solución que conviniera a ambos.

Descansó por largo rato la vista en el niño, como profundizando y balanceando el ruego de Macario contra el destino final de la criatura.

Volvió a ver a Macario con compasión y profundamente turbado. Movió la cabeza visiblemente con gran tristeza, como el que se siente sin poder alguno ante esta situación desesperada. Abrió las descarnadas mandíbulas y con una voz que sonaba como el golpear de maderas huecas, dijo:

—Lo siento, compadre, pero en este caso no puedo hacer absolutamente nada para sacarte de situación tan complicada. Lo que sí puedo decirte es que en muy raros casos he sentido tanta tristeza como ahora, créeme, Macario. No puedo evitarlo. Necesito llevarme a este niño.

—No, usted no debe, usted no puede ¿Me oye? ¡No puede llevarse al niño! —gritó Macario desesperado—. ¡Piense en mi desgracia y en la deshonra de mi familia! No puede usted llevárselo. Yo se lo impediré.

Su compañero nuevamente movió la cabeza sin decir palabra.

Entonces, con movimiento resuelto, Macario tomó la cama y la hizo girar violentamente de manera que su antiguo huésped quedara parado a los pies. Pero éste desapareció por dos segundos para aparecer como un relámpago nuevamente a la cabecera. Otra vez Macario dio vuelta al lecho y otra vez el extraño personaje apareció a la cabecera.

Loco de desesperación, Macario daba vueltas y más vueltas a la cama como si fuera una rueda, pero en cuanto se detenía para tomar aliento, miraba a su convidado parado a la cabecera. Entonces recomenzaba su loco juego, con el que creía poder engañar al que insistía en llevarse al niño.

Era demasiado para aquel hombre viejo

el esfuerzo de dar vueltas a la cama sin ganar más de dos segundos a la eternidad. Si sólo pudiera, pensaba, alargar dos segundos hasta convertirlos en dos horas más y dejar al Virrey con la impresión de que el niño estaba curado, podría tal vez escapar al horrible castigo con el que se le había amenazado.

Tan cansado estaba ya, que no le era posible mover la cama ni una vez más. Instintivamente se llevó la mano al bolsillo en que guardaba el botecito de cristal que contenía las dos últimas gotas de la preciosa medicina, encontrándose con que en su juego furioso con la cama, se le había roto.

Cuando pudo darse clara cuenta de la pérdida y de lo que ella significaba, sintió como si la última chispa de energía le hubiera abandonado.

Miró vagamente en rededor como quien sale de un largo trance, para darse cuenta de que el destino pesaba sobre él y era inútil seguir luchando.

Así, pues, dejando vagar la vista por la estancia, llegó hasta el lecho donde yacía el niño y vio que éste había muerto.

Cayó por tierra, exhausto.

Allí tendido, Macario escuchó una voz muy suave y dulce que se dirigía a él para decirle:

—Una vez más, compadre, quiero agradecerte el medio pavo que tan generosamente me diste y que restableció mis perdidas fuerzas para otros cien años de tediosa labor. Realmente el pavo estaba exquisito, si entiendes lo que significa esta palabra. He de decirte que no obstante mi agradecimiento, me es absolutamente imposible ayudarte en este angustioso trance, porque ello está fuera de mi alcance. Pero lo que sí puedo hacer es salvarte de ser quemado vivo y públicamente difamado. Eso es lo que haré en nombre de nuestra vieja amistad y de la honestidad con que has obrado siempre. Recibiste un pago real y lo honraste con realeza. Has vivido, pues, como un hombre noble y bueno. Adiós, compadre.

Macario volvió la vista hacia atrás, miró a su viejo convidado parado a su cabecera y con infinita gratitud cerró sus ojos mientras una sonrisa de satisfacción aparecía en sus labios.

XVII

Como no regresara Macario a buen tiempo, su mujer empezó a sospechar que algo malo le habría pasado.

Por eso, muy de madrugada reunió a todos los vecinos para ir en su busca.

Llevaban buscando largo rato cuando lo encontraron cerca de un arroyo en lo más intrincado del bosque.

Estaba cómodamente apoyado en el hueco de un viejo árbol. Aparentemente dormía y a juzgar por la sonrisa de felicidad dibujada en sus labios, soñaba algo muy agradable.

Pero al acercarse, su mujer notó que estaba muerto.

En el suelo, frente a él, estaban extendidas unas hojas de plátano y sobre ellas los huesos correspondientes a medio pavo, bien mondos. En el lado opuesto, como a un metro y medio, también sobre hojas de plátano, estaba la otra mitad del pavo, pero intacta.

—¡Qué raro! —dijo su mujer sollozando—. ¿Por qué partiría el pavo en dos? ¡Tanta ilusión que tenía por comérselo todo él solo! Seguramente la muerte le sorprendió antes de que pudiera probar la otra mitad. A pesar de todo, parece que murió feliz.

En la serie **espejo de urania** de tu biblioteca de aula encontrarás:

- *Teatro y obras cortas para representar*
- *Big Bang*
- *La cibernética*
- *La ley de Herodes*
- *Cuentos de humor*
- *Las vocales malditas*
- *Las metamorfosis del español*
- *Literatura y lotería*
- *Geometría y el mundo*
- *El haragán y el zopilote. Comedia tzotzil*
- *Historia de la arquitectura*
- *Dedos en la nuca*
- *Bibiana y su mundo*
- *La bruja de abril y otros cuentos*
- *Las aventuras de Huckleberry Finn*
- *La vuelta al mundo en 80 días*
- *¿Qué onda con el sida?*
- *Cuentos mexicanos*
- *Cuentos latinoamericanos*
- *Cuentos clásicos juveniles*
- *En días de muertos*
- *Las mil caras del diablo*
- *El hombre que calculaba*
- *El universo de la química*
- *Travesía por México*
- *La energía*

En la serie **astrolabio** de tu biblioteca de aula encontrarás:

Fernando furioso
Sombras chinescas y máscaras
A la rueda, rueda
¿Qué pasa aquí abuelo?
Una mirada al espacio
Taller de animación musical
Peces, reptiles, mamíferos
Las brujas
Natacha
Mi primer libro de poemas
Mi tío Teo
¿No será puro cuento? Relatos de tradición oral
Un día en la vida de un médico de Xochicalco
Mitos, cuentos y leyendas de los cinco continentes
Cuentos de Andersen
Fábulas clásicas
El Principito
Gorilas
Soñé que era una bailarina
El laboratorio del Doctor Nogueira
Fantasmas de día
Diario secreto de Paul/ Diario secreto de Susi
La vida en un castillo medieval

Esta edición se imprimió en Abril 2010. Impresos
Ares, Sabino No. 12 Col. El Manto, Iztapalapa